Folens

PRIMARY LANGUAGES
FRENCH 2

Helen Orme

Contents

UK: Folens Publishers, Apex Business Centre, Boscombe Road, Dunstable, LU5 4RL.
Email: folens@folens.com

Ireland: Folens Publishers, Greenhills Road, Tallaght, Dublin 24.
Email: info@folens.ie

Layout artist: Suzanne Ward
Illustrations: Susan Hutchison – Graham-Cameron Illustrations
Cover design: Blayney Partnership

First published 2004 by Folens Limited - New Edition 2007.

ISBN 978 1 84303 530 5

Introduction

This book is intended to be used as part of an introductory French course for children aged five to eleven. The material follows QCA guidelines.

Children need a great deal of practice with new vocabulary and many of the sheets are designed to be used in a variety of ways, thus giving pupils the chance to concentrate on a limited set of new words.

All the printed material is appropriate to the age and thus instructions are kept to an absolute minimum. It is assumed that the teacher will direct the use of the sheets orally. To put written instructions on the sheets would be likely to cause confusion.

Since oral work is so important in the teaching of a foreign language, as much opportunity as possible has been provided for using these sheets, or parts of them, as an aid to work with a partner or with a small group.

 Writing exercise

 In pairs

 Oral and recording work

 **Matching exercise**

 Draw

 Colour

 Read

Teachers' notes

Possible approaches for using the work sheets.

Quelle heure est-il? / Ma journée   6–10

Primary Modern Foreign Languages SoW – Unit 5, 7
Page 6 Pupils should write in the times in the spaces, or draw hands on the clock to show the given time.
Page 7 Pupils draw in hands on clock or write time shown – half and quarter hours.
Page 8 Pupils draw in hands on clock or write time shown – all times.
Page 9 Resource – This is a blank sheet for teachers to use as appropriate. Draw or write in times before photocopying.
Page 10 Pupils should identify the times of day when they may do the activities shown. They should draw hands on clock to show these times. Write the activity in box. Check understanding of vocabulary.
This sheet could also be used to describe the day's routine in school.

Où habites-tu?   11

Primary Modern Foreign Languages SoW – Unit 6
Copy the page onto card. Ask pupils to pick a card and introduce themselves to a partner
- Je m'appelle … J'habite à … C'est une ville en … .
This sheet could also be used in conjunction with the cards on pages 7 & 8 of Book 1. One pupil picks a card from this set and one of the name cards. This pupil asks 'Comment s'appelle-t-il/elle? Où habite il/elle?
Partner responds. Il / elle s'appelle … Il / elle habite à … . Or one pupil picks cards from both packs and says (name) habite à … .
Replace place names provided with others as appropriate. Use the cards for pair work. One pupil picks a card. "Je pense a une ville qui commence par (letter) … " Other pupils guess which town.
Use with the people cards from Book 1 (pp7, 8) Pick a card of each type and say who is to visit which town. " … và … ."
Describe location of given town with reference to the compass point.
e.g. Bordeaux est dans le sud-ouest de la France.

Teachers' notes

Où vas-tu? / Au bord de la mer / À la campagne   12–15

Primary Modern Foreign Languages SoW – Unit 2, 6

Page 12 Pupils match the faces and write where each person has travelled for their holiday.
Practice oral responses.
Enlarge the map. Identify and mark on places where pupils may have been for their holidays.
Ask pupils to say where they have been.

Page 13 Pupils should identify the missing letters and complete the country names.
Ask pupils to complete the boxes choosing a country they would like to visit, a method of transport and giving a reason, e.g. Je vais en Suisse. Je vais prendre le train. J'aime aller à la montagne.

Page 14 Ask pupils to match the words with the right picture.

Page 15 Ask pupils to match the words with the right picture.

À l'école / Dans la salle de classe / Mon emploi du temps   16–19

Primary Modern Foreign Languages SoW – Unit 7, Unit 1 LO6

Page 16 Ask pupils to match the words with the right picture.
Enlarge the pictures, and print onto card to use as flash cards.

Page 17 Pupils should work in pairs to ask each other which subjects they like, dislike etc.
This activity could be extended if pupils interview others in the class.

Page 18 Ask pupils to match the words with the right picture.

Page 19 Model a daily timetable with the pupils. List the subjects for the day – include break and lunch times. Write in lesson times.
Ask pupils to fill in the blank timetable for their week.
Pupils should complete the sentences in the box by identifying the day on which they have a particular subject and writing in the lesson times.

Je bois / Je mange / Au café / Mon déjeuner   20–25

Primary Modern Foreign Languages SoW – Unit 8

Page 20 Ask pupils to match the words with the right picture.

Page 21 Ask pupils to match the words with the right picture.

Page 22 Ask pupils to match the words with the right picture.

Page 23 Pupils work in groups. Each pupil takes an order from others in the group.
Copy and enlarge the list of food items – write in a price list and ask pupils to work out the cost of each order.

Page 24 Pupils should choose three of the illustrated orders and write these in the spaces. If a price list has already been compiled pupils could be asked to calculate the cost of each order.

Page 25 Pupils should match the items with their names. Using food and drink items from pages 20, 23 pupils should draw a meal on the plate and list the chosen foods.
The page could be enlarged and used for display purposes.

Aux magasins / C'est combien?   26–29

Primary Modern Foreign Languages SoW – Unit 8

Page 26 Ask pupils to match the words with the right picture.

Page 27 Write in the names of the various shops. As an alternative the teachers could indicate a selection of items before photocopying the sheet.
This sheet could be enlarged for display work.

Page 28 Ask pupils to choose items from the list and write in the correct shop.

Page 29 Complete the price labels with appropriate amounts before photocopying.
Pupils should write in correct amounts for each item. This could also be done as an oral exercise.

Teachers' notes

Qu'est-ce que tu aimes faire? / Qu'est-ce que tu fais aujourd'hui?   30–34

Primary Modern Foreign Languages SoW – Unit 9

Page 30 Ask pupils to match the words with the right picture.

Page 31 Ask pupils to match the words with the right picture.

Page 32 Ask pupils to match the words with the right picture.

Page 33 These represent diary pages – Pupils use the illustrations to help them complete the activity list for the first week. They then complete the other two weeks for themselves.

An alternative exercise would be to interview others in the class.

Page 34 Pupils complete one set of tick boxes – indicating which activities they like, dislike etc. and then complete the questionnaire with a partner.

One pupil asks Qu'est-ce que tu aimes faire? Their partner responds with Je déteste … , J'adore etc. choosing activities from those pictured. The exercise could be repeated, interviewing others in the class and using different list of activities, hobbies or lessons.

Le corps / Description   35–36

Primary Modern Foreign Languages SoW – Unit 9

Page 35 Matching exercise. Pupils match labels to the correct part of the body.

This page could be enlarged and labels stuck on following a class discussion.

Page 36 Colour the pictures according to the description. Ensure pupils understand all necessary vocabulary.

Use the descriptions to model descriptions of other pupils or family.

This page could be used again if teachers blanked out the descriptions given and wrote in alternatives before photocopying.

Les vêtements / Description   37–41

Primary Modern Foreign Languages SoW – Unit 10

Page 37 Ask pupils to match the words with the right picture.

Page 38 Ask pupils to match the words with the right picture.

Use either of these sheets for a colouring exercise – add colour words to descriptions.

Add price labels on articles and ask how much to buy various combinations.

Page 39 Draw in the correct clothing items. Amend description using colours and repeat exercise.

Page 40 Match the descriptions with the pictures. Colour as appropriate.

Ask pupils to suggest further descriptive words.

Use the descriptions provided to model descriptions of other pupils or family members.

Page 41 Identify the number of items of each clothing type in the wardrobe. Using the vocabulary boxes, pupils have to list as many as possible. Make up sentences about the clothes – use a variety of descriptive words including colour.

En ville il y a …   42–43

Primary Modern Foreign Languages SoW – Unit 11

Page 42 Matching exercise.

Page 43 Matching exercise.

Draw a large map and use the pictures from these pages to illustrate various locations. This could be used for oral work describing how to get from one place to another.

Des directions / Je cherche   44–46

Primary Modern Foreign Languages SoW – Unit 6, 11

Page 44 Pupils write in the direction shown in each picture.

Copy the pictures onto card. Copy the pictures on pp 42 & 43 onto card. One pupil picks a place card and asks how to get there. Their partner picks a direction card to respond.

Pages 45 & 46 Pupils use the map on page 45 to provide directions to the places given.

Match the places with the correct set of directions.

Use these as a model. Ask pupils to write their own directions to given destinations.

Le transport   47

Primary Modern Foreign Languages SoW – Unit 12

Ask pupils to match the words with the right picture.

Quelle heure est-il?

il est deux heures   il est cinq heures   il est neuf heures

il est _____ heures   il est _____ heures   il est _____ heures

il est une heure   _____   il est midi

Quelle heure est-il?

dix heures et demie

sept heures et quart

quatre heures moins le quart

une heure et demie

six heures et quart

dix heures moins le quart

Quelle heure est-il?

huit heures moins cinq

sept heures moins vingt-cinq

une heure moins dix

deux heures moins cinq

midi moins vingt-cinq

quatre heures moins dix

PRIMARY French: Book 2

Quelle heure est-il?

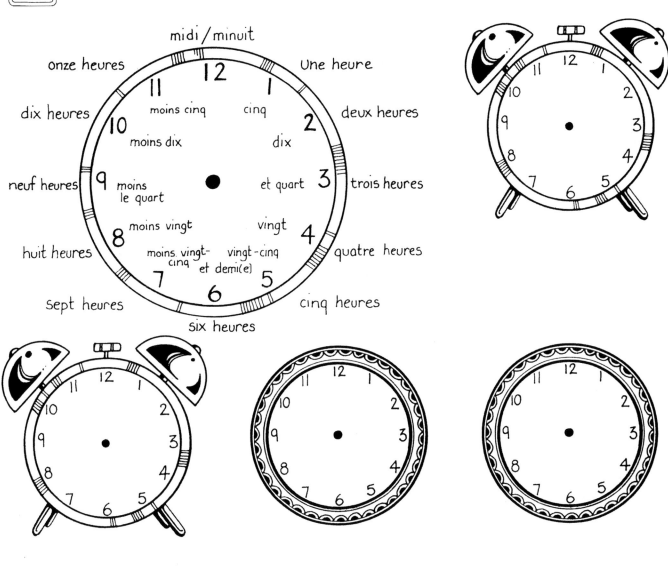

_____   _____   _____

Ma journée

Je me lève.

Je prends le dîner.

Je prends le petit déjeuner.

Je fais du sport.

Je regarde la télé.

Je vais à l'école

Je me couche.

Je fais mes devoirs.

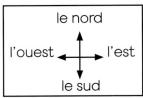

le nord

l'ouest ←→ l'est

le sud

Où habites-tu?

Bordeaux	Cardiff	Edimbourg
		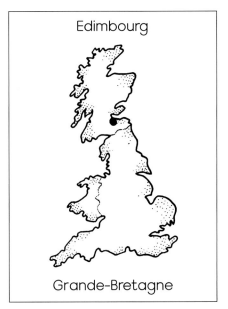
France	Grande-Bretagne	Grande-Bretagne

Southampton	Nice	St. Malo
	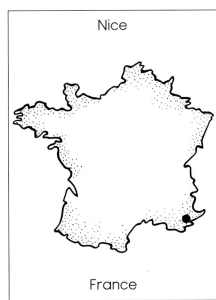	
Grande-Bretagne	France	France

Calais	Manchester	Paris
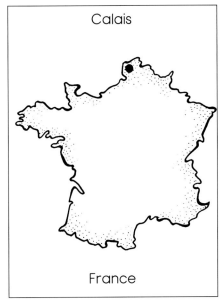	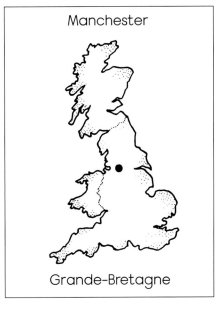	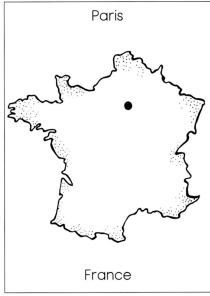
France	Grande-Bretagne	France

Où vas-tu?

	le nord
l'ouest ←→ l'est	
	le sud

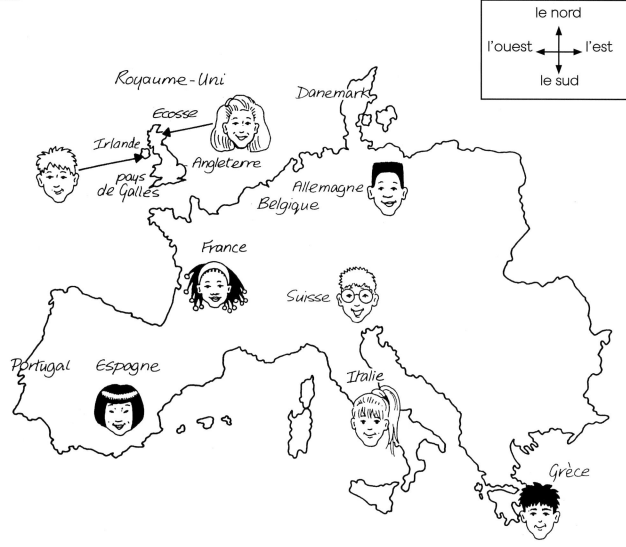

Royaume-Uni
Ecosse
Danemark
Irlande
Angleterre
pays de Galles
Allemagne
Belgique
France
Suisse
Portugal   Espagne
Italie
Grèce

 Je vais en _____ .

 Je vais en _____ .

 Je vais en _____ .

 Je vais en _____ .

 Je vais en _____ .

 Je vais en _____ .

 Je vais en _____ .

 Je vais en _____ .

12   PRIMARY French: Book 2   © Folens (copiable page)

Où vas-tu?

écris

l'Allemagne
l'Espagne
la France
la Grèce
la Suisse
l'Italie
l'Angleterre
la Belgique
l'Ecosse
l'Irelande

l'Ire __ __ __ e   l'A __ __ __ __ terre

la G __ __ __ e   l'E __ __ __ se

la S __ __ __ se   la F __ __ __ ce

l'I __ __ __ ie   la B __ __ __ __ __ __ __

le train

> Je vais à _____
>
> Je vais prendre _____
>
> J'aime aller _____

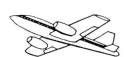

l'avion

> Je vais à _____
>
> Je vais prendre _____
>
> J'aime aller _____

la voiture

> Je vais à _____
>
> Je vais prendre _____
>
> J'aime aller _____

au bord de la mer

> Je vais à _____
>
> Je vais prendre _____
>
> J'aime aller _____

à la montagne

> Je vais à _____
>
> Je vais prendre _____
>
> J'aime aller _____

à la campagne

> Je vais à _____
>
> Je vais prendre _____
>
> J'aime aller _____

Au bord de la mer

| le maillot de bain |
| le maître-nageur |
| l'ombre |
| la mer |
| les lunettes de soleil |
| le bateau |
| le seau |
| la plage |
| la serviette |
| la pelle |
| un château de sable |
| le rocher |

PRIMARY French: Book 2

À la campagne

la rivière
la haie
le champ
le sac de couchage
le compas
la barrière
la carte
la ferme
les vaches
la tente
le bois
le sac à dos

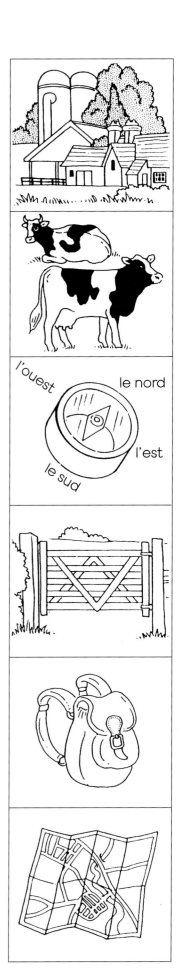

À l'école

J'aime

le français

le dessin

l'anglais

les maths

la musique

la géographie

le nord

l'ouest 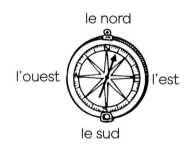 l'est

le sud

le sport

l'histoire

la technologie

les sciences

Parle et écris

Quelles sont tes matières préférées?

À l'école

l'anglais	
le dessin	
le français	
la géographie	
l'histoire	
les maths	
la musique	
le sport	
la technologie	
les sciences	

très intéressant

ma matière préférée

très amusant

amusant

ennuyeux

trop dur

facile

difficile

Nom _____

Je préfère _____

C'est _____

J'adore _____

C'est _____

J'aime beaucoup _____

C'est _____

J'aime _____

C'est _____

Je n'aime pas _____

C'est _____

Je déteste _____

C'est _____

Nom _____

Je préfère _____

C'est _____

J'adore _____

C'est _____

J'aime beaucoup _____

C'est _____

J'aime _____

C'est _____

Je n'aime pas _____

C'est _____

Je déteste _____

C'est _____

Dans la salle de classe

Il y a

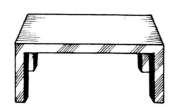

un sac
un cahier de français
une chaise
un cahier
un stylo
une règle
une calculette
un crayon
une gomme
une table
une trousse
un livre

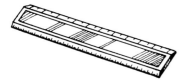

Mon emploi du temps

lundi						
mardi						
mercredi						
jeudi						
vendredi						

les matières:
l'anglais
le dessin
le français
la géographie
l'histoire
les maths
la musique
le sport
la technologie
les sciences
le sport

l'appel
la récréation
le déjeuner

lundi –
On a l'anglais à _____

_____ –

On a les maths à _____

_____ –

On a les sciences à _____

_____ –

On a le sport à _____

_____ –

On a le français à _____

_____ –

On a l'histoire à _____

Je bois

du café

une limonade

un coca

un café-crème

une bière

du vin

un thé au citron

un thé

de l'eau minérale

un chocolat chaud

du lait

un jus d'orange

PRIMARY French: Book 2   © Folens (copiable page)

Je mange

un gâteau

des frites

une glace au chocolat

un sandwich au fromage

un hamburger

une glace à la vanille

du pain

un yaourt

du poisson

de la confiture

une pizza

des chips

Je mange

des prunes

| des tomates |

| des pêches |

| des carottes |

| des petits pois |

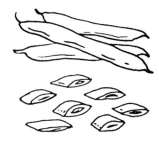

| des pommes |

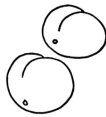
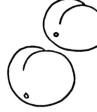

| des haricots verts |

| des framboises |

| de la salade verte |

| des bananes |

| des pommes de terre |

| du raisin |

PRIMARY French: Book 2

Au café

Qu'est-ce que vous prenez?

une pizza	des croissants	un thé au citron
un hotdog	du pain	un jus d'orange
un hamburger	un yaourt	une limonade
un sandwich au fromage	des frites	de l'eau minérale
un poisson	des chips	un chocolat chaud
une glace au chocolat	un gâteau	du café
une glace à la vanille	des saucisses	un thé
		un coca
		du lait

Nom _____

Je voudrais

Nom _____

Je voudrais

Nom _____

Je voudrais

Nom _____

Je voudrais

Nom _____

Je voudrais

Nom _____

Je voudrais

Au café

Qu'est-ce que vous prenez?

Je voudrais

Je voudrais

Je voudrais

Mon déjeuner

une assiette

un couteau

un verre

une cuillére

une chope

une fourchette

une tasse

Aux magasins

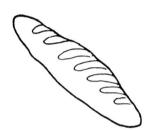

| un poulet |
| des oeufs |
| un paquet de biscuits |
| du sucre |
| une tablette de chocolat |
| du lait |
| des croissants |
| des côtelettes d'agneau |
| des saucisses |
| un pain au chocolat |
| une baguette |
| un bifteck |

26   PRIMARY French: Book 2   © Folens (copiable page)

Aux magasins

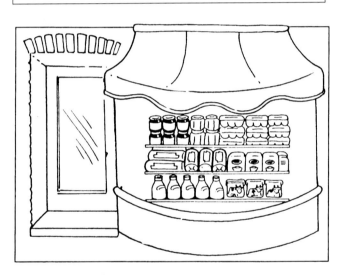

Aux magasins

La boulangerie

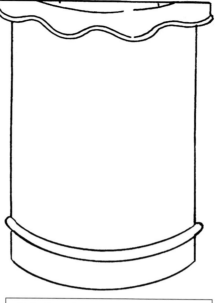

L'épicerie

Le marché

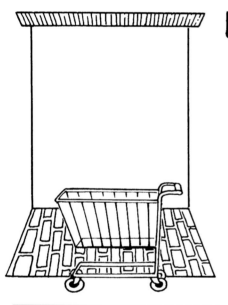

Le supermarché

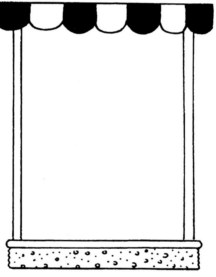

La boucherie

Le tabac

de la confiture	un paquet de biscuits	les pommes de terre
les prunes	du raisin	le bifteck
un poulet	un coca	des côtelettes d'agneau
des chips	de la salade verte	des bonbons
une carte postale	une baguette	les bananes
des saucisses	du lait	un pain au chocolat
des pêches	les haricots verts	les pommes
les framboises	un yaourt	des oeufs
un gâteau	les tomates	les carottes
un timbre	de l'eau minérale	du sucre
une bouteille de limonade	une tablette de chocolat	des croissants

C'est combien?

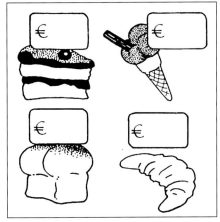

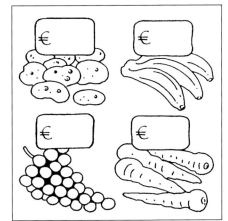

C'est combien?
le gâteau?

_____

le pain?

_____

la glace au chocolat?

_____

le croissant?

_____

C'est combien?
les pommes de terre?

_____

les bananes?

_____

les raisins?

_____

les carottes?

_____

C'est combien?
la carte postale?

_____

le timbre?

_____

la poupée?

_____

la trousse?

_____

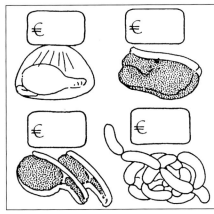

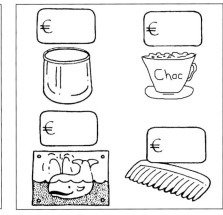

C'est combien?
les biscuits?

_____

la tablette de chocolat?

_____

le lait?

_____

les oeufs?

_____

C'est combien?
le poulet?

_____

le bifteck?

_____

les côtelettes d'agneau?

_____

les saucisses?

_____

C'est combien?
le verre?

_____

la tasse?

_____

le poster?

_____

le peigne?

_____

Qu'est-ce que tu aimes faire?

J'aime

jouer au foot

faire de l'équitation

faire de l'athlétisme

faire du vélo

jouer au tennis

jouer au badminton

faire de la natation

jouer au golf

jouer au ping-pong

jouer au hockey

faire de la gymnastique

faire du judo

PRIMARY French: Book 2 © Folens (copiable page)

Qu'est-ce que tu aimes faire?

J'aime

collectionner des timbres

aller à la discothèque

FIN

aller au cinéma

aller à la pêche

regarder la télévision

écouter de la musique

lire

jouer avec mon ordinateur

collectionner des poupées

collectionner des cartes postales

jouer aux cartes

jouer de la guitare

Qu'est-ce que tu aimes faire?

J'aime

faire du surfing
jouer au rugby
faire du ski
faire du patinage sur glace
faire du cyclisme
faire de la danse
faire de la planche à voile
jouer au cricket
faire de l'alpinisme
faire du patinage à roulettes
faire de la voile
jouer au netball

PRIMARY French: Book 2   © Folens (copiable page)

Qu'est-ce que tu fais aujourd'hui?

dimanche	
Je vais à la pêche.	
lundi	
mardi	
mercredi	
jeudi	
vendredi	
samedi	

Je joue au foot.
Je joue au tennis.
Je joue avec mon ordinateur.
Je vais à la pêche.
Je vais au cinéma.
Je vais à la disco.
Je regarde la télévision.
J'écoute de la musique.
Je lis des magazines.
Je fais de la natation.
Je fais du vélo.
Je fais des courses.

dimanche	
lundi	
mardi	
mercredi	
jeudi	
vendredi	
samedi	

dimanche	
lundi	
mardi	
mercredi	
jeudi	
vendredi	
samedi	

Qu'est-ce que tu aimes faire?

	Moi				Mon partenaire			
	Je déteste	Je n'aime pas	J'aime	J'adore	Je déteste	Je n'aime pas	J'aime	J'adore

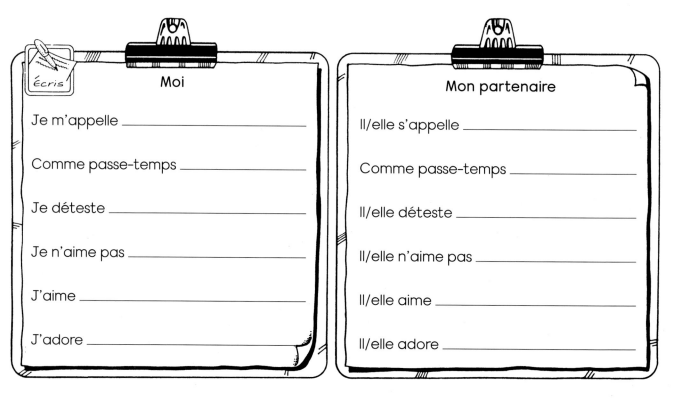

Moi

Je m'appelle _____

Comme passe-temps _____

Je déteste _____

Je n'aime pas _____

J'aime _____

J'adore _____

Mon partenaire

Il/elle s'appelle _____

Comme passe-temps _____

Il/elle déteste _____

Il/elle n'aime pas _____

Il/elle aime _____

Il/elle adore _____

Le corps

les cheveux

le cou

la tête

l'oeil
(les yeux)

la bouche

l'oreille
(les oreilles)

le bras
(les bras)

l'épaule
(les épaules)

le doigt
(les doigts)

la main
(les mains)

le dos

le genou
(les genoux)

l'estomac

le corps

les hanches

la jambe
(les jambes)

les doigts
de pied

le pied
(les pieds)

Description

A

Elle a les yeux gris.

Elle a les cheveux noirs.

Elle a les cheveux courts et frisés.

B

Il a les yeux bleus.

Il a les cheveux blonds.

Il a les cheveux courts et frisés.

C

Il a les yeux marron.

Il a les cheveux bruns.

Il a les cheveux raides.

D

Elle a les yeux verts.

Elle a les cheveux roux.

Elle a les cheveux longs et frisés.

E

Elle a les yeux bleus.

Elle a les cheveux blonds.

Elle a les cheveux longs et raides.

F

Il a les yeux verts.

Il a les cheveux noirs.

Il a les cheveux longs.

PRIMARY French: Book 2 © Folens (copiable page)

Les vêtements

un pantalon

un maillot de bains

des lunettes de soleil

une robe

un tee-shirt

un polo

une jupe

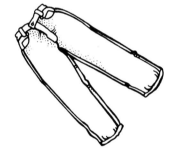

un short

un jean

une veste

un chemisier

une chemise

Les vêtements

un collant

des chaussures de sport

des chaussures

des gants

des bottes

des chaussettes

des sandales

un pull

une cravate

une écharpe

un manteau

une casquette

PRIMARY French: Book 2

Description

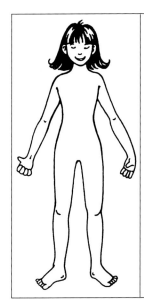

A

Elle porte une robe.

Elle porte des chaussettes et des chaussures.

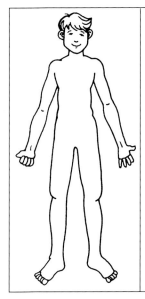

B

Il porte une chemise.

Il porte un pull.

Il porte une cravate.

Il porte un pantalon.

Il porte des chaussures.

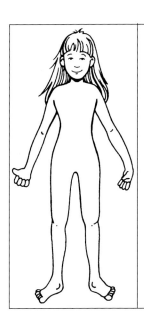

C

Elle porte un tee-shirt.

Elle porte un jean.

Elle porte des sandales.

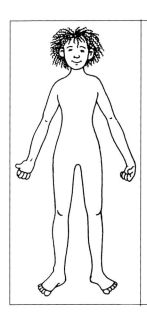

D

Il porte une chemise.

Il porte un jean.

Il porte un manteau.

Il porte des chaussures de sport.

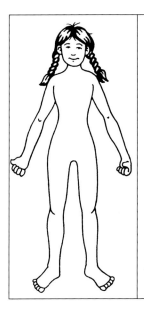

E

Elle porte une jupe et un pull.

Elle porte un collant.

Elle porte des bottes.

Elle porte une écharpe.

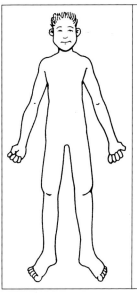

F

Il porte un tee-shirt.

Il porte un short.

Il porte des sandales.

Il porte une casquette et des lunettes de soleil.

Description

- Elle s'appelle Marie.
- Elle est petite et mince.
- Elle a les yeux marron et les cheveux roux.
- Elle porte une robe jaune.
- Elle porte un collant bleu et des sandales brunes.

Elle s'appelle _____

- Elle s'appelle Anna.
- Elle est assez grosse.
- Elle a les yeux bleus et les cheveux bruns.
- Elle porte une robe bleue.
- Elle porte des chaussettes blanches et des bottes noires.
- Elle porte une écharpe et des gants.

Il s'appelle _____

- Il s'appelle Paul.
- Il est grand.
- Il porte des lunettes.
- Il a les yeux bleus et les cheveux blonds.
- Il porte un tee-shirt rouge et un jean bleu.
- Il porte des chaussures noires.

Elle s'appelle _____

- Il s'appelle Luc.
- Il est assez grand et mince.
- Il a les yeux bruns et les cheveux bruns.
- Il porte un maillot de bains vert et un tee-shirt orange.
- Il porte des chaussures de sport et des lunettes de soleil.

Il s'appelle _____

Les vêtements

Dans l'armoire il y a

_____
_____
_____
_____
_____
_____
_____
_____
_____
_____
_____
_____
_____
_____

1	un
2	deux
3	trois
4	quatre
5	cinq
6	six
7	sept
8	huit
9	neuf
10	dix

robe	cravate	sandales
jupe	chaussures	chapeau
pantalon	chemisier	gants
pull	chaussettes	polo
manteau	tee-shirt	maillot de bains
jean	collant	écharpe
veste	bottes	short
chemise	chaussures de sport	lunettes de soleil

En ville il y a

l'office du tourisme
le collège
la bibliothèque
la gare
la banque
la station-service
le café
la mairie
le musée
l'église
le centre-ville
l'hôtel

PRIMARY French: Book 2

© Folens (copiable page)

En ville il y a

le stade

| le château |

| la piscine |

| le cinéma |

| le commissariat de police |

| le parking |

| le restaurant |

| la poste |

| la rivière |

| la gare routière |

| le marché |

| le parc |

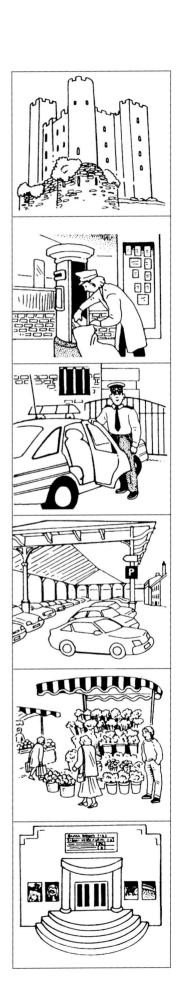

Des directions

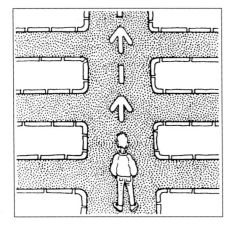

_____

_____

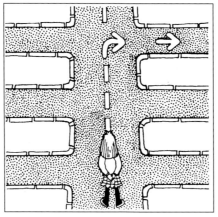

_____

_____

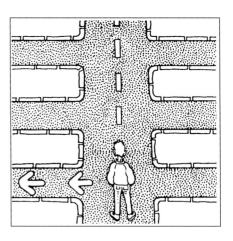

_____

_____

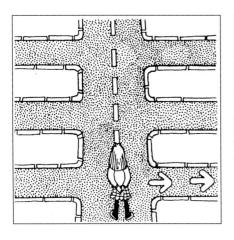

_____

_____

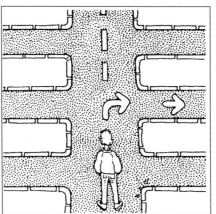

_____

_____

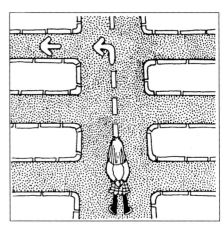

_____

_____

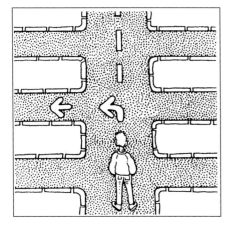

_____

_____

Tournez à gauche.

Tournez à droite.

Continuez tout droit.

Prenez la troisième rue à gauche.

Prenez la deuxième rue à droite.

Prenez la troisième rue à droite.

Prenez la deuxième rue à gauche.

Des directions

Je cherche

Je cherche l'église.	Prenez la troisième rue à droite.
Je cherche la banque.	Tournez à droite.
Je cherche l'hôtel.	Prenez la deuxième rue à droite.
Je cherche la gare.	Continuez tout droit. Prenez la deuxième rue à gauche.
Je cherche le musée.	Tournez à gauche, continuez tout droit.

Je cherche la poste

_____

_____

Je cherche le marché

_____

_____

Je cherche l'office du tourisme

_____

_____

Je cherche le café

_____

_____

Je cherche la gare routière

_____

Le transport

le métro

la moto

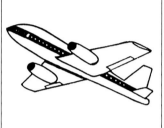

la voiture

l'avion

à pied

le chameau

le vélo

l'autobus

le bateau

le train

Useful words

A	l'anglais	English
	une assiette	a plate
	aujourd'hui	today
	l'avion	the plane
B	le bateau	the boat
	la bibliothèque	the library
	blanc	white
	bleu	blue
	la boisson	the drink
	les bottes	boots
	la bouche	mouth
	la boucherie	the butcher's shop
	la boulangerie	the baker's shop
	le bras	arm
	brun	brown
C	le café	coffee cafe
	la campagne	the countryside
	la carte	the map
	une carte postale	a postcard
	une casquette	a cap
	le champ	field
	le chapeau	hat
	un château de sable	a sandcastle
	les chaussettes	socks
	des chaussures	shoes
	des chaussures de sport	trainers
	une chemise	a shirt
	un chemisier	a blouse
	chercher	to look for
	des chips	crisps
	un chocolat chaud	hot chocolate
	une chope	a beer glass
	au citron	with lemon
	un collant	a pair of tights
	combien (de)?	How much/many?
	le commissariat de police	the police-station
	les côtelettes d'agneau	lamb chops
	le cou	neck
	(faire) des courses	shopping
	un couteau	a knife
	une cuillére	a spoon
D	le doigt	finger
	les doigts de pied	toes
	le dos	back
	à droite	on the right
	tout droit	straight on
	dur	hard
E	une écharpe	a scarf
	l'église	the church
	l'emploi du temps	timetable
	ennuyeux	boring
	l'épicerie	the grocer's shop
	l'est	east
	l'estomac	stomach
F	facile	easy
	la ferme	farm
	une fourchette	a fork
	les framboises	raspberries
	frisés	curly (hair)
	des frites	chips
	le fromage	cheese
G	les gants	gloves
	la gare	railway station
	la gare routière	the bus station
	à gauche	on the left
	le genou	knee
	une glace	an ice cream
	gris	grey
	grosse	large

	French	English
H	les hanches	hips
J	la jambe	the leg
	jaune	yellow
	une jupe	a skirt
L	le lait	milk
	les légumes	vegetables
	un livre	a book
	les lunettes de soleil	sunglasses
M	les magasins	shops
	le maillot de bain	swimsuit
	la main	hand
	la mairie	the town hall
	la maison	the house
	le maître-nageur	lifeguard
	le marché	the market
	les matières	school subjects
	la mer	the sea
	mince	thin, slim
	la montagne	the mountain
	le musée	the museum
N	noir	black
	le nord	north
O	des oeufs	eggs
	l'oignon	the onion
	l'oreille	ear
	l'ouest	west
P	du pain	bread
	un pantalon	a pair of trousers
	petit / petite	little
	le pied	foot
	la piscine	the swimming pool
	la plage	the beach
	un poisson	a fish
	les pommes	apples
	les pommes de terre	potatoes
	un poulet	a chicken
	une poupée	a doll
	les prunes	plums
R	raides	straight (hair)
	du raisin	grapes
	la rivière	river
	une robe	a dress
	rouge	red
	roux	red (hair)
	la rue	the street
S	un sac	a bag
	la serviette	the towel
	le stade	sports stadium
	la station-service	petrol station
	le sud	south
T	le tabac	the tobacconist's
	une tasse	a cup
	la tête	head
	un thé	tea
	un timbre	a stamp
	une trousse	a pencil case
V	les vacances	holiday
	un verre	a glass
	une veste	a jacket
	les vêtements	clothes
	vert	green
	une ville	a town
	la voiture	the car
Y	un yaourt	yoghurt